Mes Premières ENQUÊTES

MYSTÈRE ET BONHOMME DE NEIGE

© 2017, éditions Auzou
24-32, rue des Amandiers, 75020 Paris – France

Direction générale : Gauthier Auzou
Responsable éditoriale : Maya Saenz-Arnaud
Éditrice : Estelle Mialon
Assistante éditoriale : Emeline Trembleau
Responsable studio graphique : Alice Nominé
Responsable fabrication : Jean-Christophe Collett
Fabrication : Bertrand Podetti
Correction : Catherine Rigal

Mes Premières

ENQUÊTES

MYSTÈRE ET BONHOMME DE NEIGE

Écrit par Emmanuel Trédez
Illustré par Maud Riemann

AUZOU *romans* **Premiers pas**

Pour les vacances d'hiver, les parents d'Enzo ont loué un appartement dans une jolie station de ski. Enzo a pu inviter Émile, son meilleur ami.

Ce mardi-là, Émile et Enzo s'apprêtent

à prendre leur troisième cours de ski : ils préparent leur première étoile. Jusqu'ici, tout s'est bien passé. Enfin, presque ! La veille, Émile s'est disputé avec un garçon, Théo, en prenant la défense d'une fille qu'il avait bousculée à skis : Louise. Ce que Théo n'a pas apprécié.

Tandis qu'ils attendent leur monitrice, Théo, justement, s'approche d'Émile et lui lance d'un air moqueur :

— Alors, tu n'es pas avec ton amoureuse ?

Ça agace beaucoup Émile !

À la fin du cours, les parents vont

chercher les garçons. Max les accompagne. Avec son manteau rouge et ses lunettes de soleil, il a vraiment l'air comique !

Sur le chemin du retour, les parents s'arrêtent à la charcuterie. En les attendant, Émile et Enzo s'amusent avec Max qui a de la neige jusqu'aux oreilles. Soudain, Émile reçoit une boule de neige. Le temps de tourner la tête, le lanceur a disparu. Max tire Enzo par le bas de son pantalon.

— Qu'est-ce que tu as vu ?

Il y a comme une tache rouge dans la neige. C'est une feuille de papier pliée en quatre.

— Bravo, Max. Ce papier devait être pris dans la boule de neige !

Émile déplie la feuille rouge et tombe sur un texte mystérieux :

— On dirait un message codé ! s'exclame Émile.

Au même moment, les parents sortent de la charcuterie. Tout en regagnant le chalet, les garçons s'interrogent :

— Qui a bien pu me lancer cette boule de neige ? demande Émile.

— Ça ne peut être que Théo ! répond Enzo. Sans doute une lettre d'insultes…

Après le déjeuner, toute la famille rechausse ses skis. Au programme, les pistes vertes et bleues de la station !

2 Un début d'explication

Il est presque 17 heures lorsque les enfants se penchent enfin sur la mystérieuse lettre. Enzo songe aux codes secrets que Jules César, le célèbre général romain, utilisait. Il a lu ça avec son père sur Internet.

— Pour déchiffrer ses messages, explique-t-il à Émile, il fallait décaler chaque lettre du texte de trois lettres de l'alphabet.

— Qu'est-ce que tu veux dire ? demande Émile.

— Que le A correspondait au D, le B au E, et ainsi de suite.

— Tu crois que Théo a utilisé ce code ?

— Je ne sais pas. On n'a qu'à essayer.

Malgré leurs efforts, les garçons se couchent sans avoir trouvé la solution.

Ils ont à peine éteint la lumière qu'Enzo se redresse dans son lit.

— Émile, je crois que j'ai trouvé !

Il rallume et relit le message.

— Chaque lettre représente un son, et, mis bout à bout, ces sons forment des phrases. Tu vois, TO se traduit par « Théo » et I.10.O par « idiot » !

— Mais oui, tu as raison, cela fait :

« Théo est un idiot ! »

Ils éclatent de rire. Leur joie est communicative car Max, dans sa corbeille, se met à japper.

— Passons à la suite, propose Enzo. É.1000 correspond à « Émile ». Ça alors, tu savais que ton prénom pouvait s'écrire comme ça ?

— Non, je n'avais jamais remarqué.

— RO se traduit par « héros ». Ce qui nous donne : « Émile est un héros. »

— Maintenant, on sait que Théo ne peut plus être l'auteur du message !

— Non, c'est forcément quelqu'un qui t'a vu prendre la défense de Louise devant Théo.

Attirée par les bruits de voix et les aboiements de Max, la mère d'Enzo entre dans la chambre.

— Les garçons, ce n'est plus l'heure de discuter !

Enzo tend le papier à sa mère. Elle lui apprend qu'il s'agit d'un allographe : un texte qui n'a de sens que si on prononce séparément chacune des lettres et chacun des chiffres qui le composent.

— Bon, maintenant, on éteint !

3 À la patinoire

Mercredi.

La neige tombe sans interruption depuis la nuit précédente. Cela n'empêche pas les enfants de prendre leur cours de ski, mais la sortie familiale

de l'après-midi est annulée.
À la place, le père d'Enzo propose d'amener les garçons à la patinoire. Ils y retrouvent d'autres camarades du cours de ski, notamment Louise et Jessica. Mais ils sont bien trop timides pour aller voir les filles !

Deux heures plus tard, la mère d'Enzo les attend avec Max devant la patinoire. Louise et Jessica, qui sortent au même moment, en profitent pour caresser le chien.

— Il est trop mignon ! dit Jessica.

De retour à la maison, Max attire

l'attention des garçons.

— Il veut qu'on lui retire son manteau, dit Émile.

— Oui, il doit avoir trop chaud, le pauvre !

Mais tandis qu'Enzo déshabille son chien, un nouveau papier rouge, qui devait être glissé sous son manteau, tombe par terre.

— Ah, tu savais, petit coquin !

Max le regarde d'un air de dire :
« Évidemment, qu'est-ce que tu crois ! »

Les enfants déplient le message.

C'est encore un allographe. Les garçons se mettent à le déchiffrer. Cette fois, cela va beaucoup plus vite !

— G SÉIÉ 2 10.QT se traduit par « J'ai essayé de discuter » et TT OQP par…

— « T'étais occupé », le devance

Émile. Je ne me rappelle pas que quelqu'un ait essayé de discuter avec moi aujourd'hui…

— Moi non plus, répond Enzo, mais Louise et Jessica ont très bien pu glisser le message dans le manteau de Max pendant qu'elles le caressaient.

— Pour en avoir le cœur net, on doit les faire parler !

Jeudi.

De nouveau, le temps n'est pas au rendez-vous. Après le cours de ski, les garçons convainquent le père d'Enzo de retourner à la patinoire. Louise et

Jessica leur ont dit qu'elles y seraient, ce sera l'occasion de faire avancer leur enquête. Cette fois, Émile et Enzo leur proposent de jouer avec elles. Ils s'amusent d'abord à se poursuivre sur la glace. Mais à ce jeu-là, les garçons sont nettement moins doués que les filles. Alors, pour les aider, elles finissent par leur donner la main. Les quatre enfants ne peuvent s'empêcher de rougir. De vrais homards !

À l'heure du goûter, Louise tend un sachet aux garçons.

— Goûtez-moi ces Divins, c'est la spécialité de la boulangerie.

Émile pioche dans le sachet.

— Super, des beignets au chocolat !

Les enfants discutent encore un bon moment. Mais personne ne parle des messages.

En fin d'après-midi, lorsqu'ils rentrent à l'appartement, Émile et Enzo découvrent un magnifique bonhomme de neige devant l'entrée du chalet. Celui-ci a une écharpe autour du cou et, en guise de nez... un

cône de papier rouge ! Émile prend
connaissance du message :

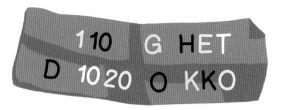

— 1.10, ça fait « indice », devine
Émile. L'auteur nous donne un indice !
— Et G HET D 10.20 O KKO,

poursuit Enzo, se traduit par « J'ai acheté des Divins au cacao ».

— Cette fois, il n'y a plus de doute, c'est bien Louise qui est l'auteure des messages.

— Oui, et à mon avis, elle est amoureuse de toi.

Émile fait une drôle de tête.

— Qu'est-ce qu'il y a ? Tu n'as pas l'air ravi…

— C'est que, moi, je suis amoureux de Jessica !

5   La déclaration

Les garçons s'apprêtent à rentrer à l'appartement quand Enzo remarque les empreintes de pas dans la neige.

— Et si on les suivait ? On en profitera pour rendre l'écharpe à sa propriétaire…

Émile est d'accord. Les amis suivent les empreintes jusqu'à un autre chalet.

— Et maintenant, comment on fait pour retrouver l'appartement ? s'inquiète Émile.

— On demande à Max ! s'exclame Enzo.

Le chien est tout content de se rendre utile. À peine a-t-il reniflé l'écharpe qu'il s'élance dans le couloir. Puis il s'arrête devant l'une des portes.

Sans hésiter, Enzo appuie sur le bouton de la sonnette. Une dame leur ouvre.

— Bonjour, dit Enzo, nous avons retrouvé cette écharpe.

— On dirait celle de Jessica. Elle fait de la luge avec une copine derrière le chalet. Vous pouvez aller les retrouver si vous voulez…

— Merci, répond Émile, mais il faut qu'on rentre.

Les garçons comprennent qu'ils se

sont trompés. Ce n'est pas Louise qui a écrit les messages ou acheté les beignets, mais Jessica !

Vendredi. Le soleil est de retour pour cette dernière journée de vacances. Quand les garçons retrouvent les filles au cours de ski, ils remarquent aussitôt l'écharpe au cou de Jessica. C'est bien celle qu'ils ont rapportée à sa mère.

À la fin du cours, les enfants ont décroché leur première étoile. Ils se donnent rendez-vous à l'école de ski pour recupérer leurs trophées.

Jessica fait comprendre à Enzo qu'elle aimerait lui dire un mot. Enzo demande à Max d'occuper Émile. Pendant ce temps-là, Jessica en profite pour lui tendre un message.

— Tu pourrais le donner à Émile ?

— D'accord, mais à condition que tu répondes à cette question :

pourquoi tu as choisi d'écrire des allographes ?

— Parce que mon prénom est un allographe. Tout comme ceux de Théo et d'Émile !

— Bien sûr, j'aurais dû y penser !

Enzo réfléchit un instant.

— À propos du message, Jessica, tu devrais le lui donner toi-même. Il serait content.

— Tu crois ?

— J'en suis sûr.

Après une courte hésitation, Jessica s'approche d'Émile.

— Tiens, c'est pour toi.

Émile a le cœur qui bat fort lorsqu'il découvre le message :

— Jessica aime Émile, traduit-il. Moi aussi, je suis amoureux de toi, Jessica !

Les aventures d'Enzo et Max, les apprentis détectives, continuent !

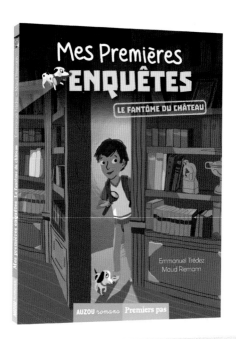

LE FANTÔME DU CHÂTEAU

Pendant une visite, Enzo fait la découverte
de mystérieux messages...
Est-ce que ce château serait hanté ?

Les aventures d'Enzo et Max, les apprentis détectives, continuent !

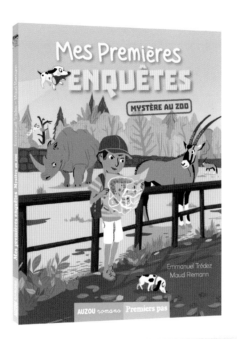

Une surprise de taille attend Enzo, ce matin.
Son oncle l'emmène au zoo !
Avec Max, le petit garçon découvre de mystérieux
messages qu'il va devoir élucider...

Dent-Dure et
Courtepatte
au royaume
de Ventremou

Dent-Dure et
Courtepatte
au royaume
de Beaumiroir

Dent-Dure et
Courtepatte
au royaume
de Malparole

Dent-Dure et
Courtepatte
au royaume
de Toutécran

Les poudres du
Père Limpinpin
Bérengère est
en colère

Les poudres du
Père Limpinpin
Edgard est
en retard

Les poudres du
Père Limpinpin
Clément ment
tout le temps

Les poudres du
Père Limpinpin
Lilou a peur de tout

Cosmos Express
Le Crok'planète

Cosmos Express
Planète interdite

Lisa
et le Gâtovore

Lisa
et le Croquemot

Un petit frère,
non merci !

Une baby-sitter,
non merci !

Le Club des Pipelettes
La maîtresse a disparu !

Le Club des Pipelettes
Soirée pyjamagique !

Le Club des Pipelettes
Chatastrophe !